Ольга Прохорова
Татьяна Толстая

Та самая
АЗБУКА
БУРАТИНО

Художник Юлия Сомина

РОЗОВЫЙ
ЖИРАФ

Эту книгу придумала Екатерина Толстая,

а стихи сочинили её сестра Татьяна и дочь Ольга.

УДК 821.161.1-93

ББК 84(2Рос=Рус)6-44

П84

О. Прохорова, Т. Толстая

П84   Та самая Азбука Буратино. — М.: Розовый жираф, 2011. — 72 с.: ил.

ISBN 978-5-903497-42-3

Кате Толстой

Вступление

Любому знакома такая картина:

По улице в школу бежит Буратино.

Бежит он вприпрыжку, взяв книжку под мышку,

Сейчас у театра он встретит мальчишку,

Сейчас он про всё позабудет и — раз!

За несколько сольдо ту книжку продаст.

Продаст не колпак, и не куртку с ботинками —

Нарядную Азбуку с чудо-картинками.

Постой, Буратино, постой, шалунишка,

Ведь Азбука эта — волшебная книжка!

На каждой странице, от «А» и до «Я»,

Твои приключенья, враги и друзья.

Здесь сказано всё, что с тобою случится...

Раскроем же книгу на первой странице!

Алиса

Лучше Алисы нету актрисы;
Слаще ириса голос Алисы.
Гладко и ловко плетет словеса
Злая плутовка — Алиса-лиса.

Лихо придуманы лживые сказки,
Полные лести, притворства и ласки.
Уши развесил, синьор простачок?
Милости просим к лисе на крючок.

Славятся хитростью многие лисы,
Но далеко им до рыжей Алисы.
Будь осторожней, встречая в лесу
Злую плутовку Алису-лису!

Базилио

«Пройдоха, плут, бездельник, вор!» —
Мне вслед бросали не однажды.
Что мне досужий разговор —
Кота обидеть может каждый.

Так что же мне — терпеть нужду,
Страдать от голода и жажды?
Решил украсть — и украду!
Кота обидеть может каждый.

Когда я ем, я глух и нем,
Урвал кусок, а как — неважно.
Зачем трубить об этом всем?
Кота обидеть может каждый.

Очки, лохмотья, нищета —
Уловки, чтоб дурачить граждан,
Чтоб всякий, глядя на кота,
Подумал: «Бедный сирота!
Его обидеть может каждый!»

Ворона

Говорил я раз с Вороной — осторожной, умудрённой, —
«Это правда, будто Ворон — благоверный ваш супруг?»
И Ворона замолчала, призадумавшись сначала,
Головою покачала и ответила мне вдруг:
«Враки, враки, юный друг!»

Я другого ждал ответа и спросил её на это:
«Отчего же так похоже называют вас тогда?»
Птица голову склонила, крылья чёрные раскрыла
И сказала, улетая, исчезая без следа:
«Не узнаешь никогда!»

Говорящий Сверчок

Послушай-ка, маленький ты дурачок,
Что скажет тебе Говорящий Сверчок:
Ты только родился, а я — старичок,
Я старый Сверчок Говорящий.

Я жил в этой комнате больше ста лет,
Хочу тебе дать я полезный совет,
Тебя уберечь от несчастий и бед,
Спасти от напасти грозящей.

Итак, Буратино, послушай меня:
Погубит пустая тебя болтовня,
Ступай-ка учиться, не медля ни дня,
Да в книги заглядывай чаще.

Учение людям полезно весьма:
Учение — свет, неучение — тьма.
Я сам уж сто лет набираюсь ума,
Я, старый Сверчок Говорящий.

Но ты посмеялся над старым сверчком,
С размаху в меня запустил молотком,
И я покидаю навеки твой дом,
Очаг, и огонь, в нём горящий.

На улице солнце и розы в цвету,
А я уползаю назад в темноту.
Вот так награждён за свою доброту
Я, старый Сверчок Говорящий...

13

Дуремар

Позвольте вам представиться — я жалкий Дуремар.
Согласен, я ничтожество, назойлив, как комар,

А всё-таки позвольте мне погреться у огня.
А всё-таки, пожалуйста, послушайте меня.

Я продавец пиявочек, я их ловлю в пруду.
Всегда, когда понадоблюсь, на помощь к вам приду.

Болит у вас под ложечкой иль ломотьё в костях —
Зовите Дуремара, и я вмиг у вас в гостях!

Конечно, я противненький, конечно, негодяй,
А все-таки, богатенький, ты денежку мне дай!

Объелись вы цыплятами иль колотьё в боку —
Я жирную пиявочку приставлю вам к виску.

Я продавец пиявочек, лечебных червячков.
Синьор, купите дюжину за пару пятачков!

Да разве это дорого? — Поверьте, без труда
Не выловишь пиявочку из грязного пруда.

Берите кровососика — чудесный экземпляр!
Товара второсортного не держит Дуремар.

Никто вам в этом городе, как я, не угодит.
Вот эту не желаете? — сама на вас глядит!

Четыре сольдо дюжина — и кончен разговор!
...Чего же вы толкаетесь? Я сам уйду, синьор.

Ежи

В ежином семействе — детишек орава,
И все от рожденья драчливого нрава.
От топота, шума и гама
Устали и папа, и мама.

Ежата, сбиваясь в колючую кучу,
Чуть что — затевают весёлую бучу,
И возятся целыми днями
В траве под сосновыми пнями.

Напрасно родня начинает сердиться:
«Пора их в ежовые взять рукавицы!»
Ведь как ни ругай забияку —
Он снова бросается в драку.

Но помнят в семье исключительный случай,
Когда пригодился характер колючий:
Однажды отряд их ежиный
Сражался единой дружиной.

И ёж, и ежиха, и дети, и тётки
Катились клубками, как круглые щётки,
И в страхе по пыльной дороге
От них убежали бульдоги.

Жуки и жаба

Два жука на барабане,
Дует жаба в контрабас —
Исполняют на поляне
Польку «Птичку» в третий раз.

«Хвост налево, нос направо! —
Оглашает песня лес. —
Получилось, браво, браво!
Повторим от фа-диез!»

«Не забудьте при повторе, —
Замечает дирижёр, —
Нос налево — в ми-миноре,
Хвост направо — соль-мажор!»

А влюблённые стрекозы,
Занимая первый ряд,
Громко шепчут: «Виртуозы!»
И глаза у них горят...

Золотой ключик и закрытая дверь

Под старым холстом в холостяцкой каморке
Томится закрытая дверь.
Кто запер её почерневшие створки,
Она и не помнит теперь.

Но снится ей сон: под водою зелёной,
Где ил и песок в глубине,
Мечтая о двери своей потаённой,
Покоится ключик на дне.

Италия

Среди волн Средиземного моря
Расположен огромный сапог.
Там растут на зелёном просторе
Апельсины, оливы, чеснок.

Итальянцы — народ хлебосольный,
Если в гости приятель зашёл,
Здесь истратят последнее сольдо,
Чтоб подать угощенье на стол.

«Не смотрите, что мы небогаты,
Хватит места на нашей скамье!» —
Гостя встретят как друга и брата
В итальянской весёлой семье.

«Добрый день, я синьор Буратино,
Буратино — супруга моя,
То же имя у дочки и сына —
Вот такая смешная семья!»

Макароны и пицца готовы,
И хотя ничего больше нет,
Вам понравится, честное слово,
Их простой итальянский обед.

Карабас-Барабас

Молчать! А ну-ка по углам!
А то устроили бедлам,
Не куклы, а трещотки!
И никаких пустых затей!
Я нынче зол, как сто чертей,
Отведаете плётки!

Проклятье! Вот уже три дня
Сплошной убыток у меня,
Недолго до провала!
Едва на треть заполнен зал —
Кошмар! Позор! Такой скандал,
Какого не бывало!

Мой балаган трещит по швам,
Повсюду пыль, повсюду хлам,
И куклы все в обносках.
Кулисы выцвели давно —
Да, прогореть немудрено
На этаких подмостках.

Но рано в панику впадать,
Мне надо тайну разгадать,
Сорвать с неё покровы:
Эх, если бы я только смог
Найти и ключик, и замок...
Но — никому ни слова!

Лестница

Пусть ведут ступеньки нас

ниже,

ниже,

ниже,

Лишь бы только не погас

огонёчек

рыжий!

Наши тени на стене

пляшут

отчего-то.

Что таится в глубине,

там,

за поворотом?

Не спеши, не оступись!

Ниже,

ниже,

ниже.

С каждым новым шагом вниз

мы

к разгадке

ближе.

Мальвина

Среди реквизита, за сценой, в чулане,
Лежала я в пыльном большом чемодане.
И платье, и фартук, и бантик, и букли —
Всё было измято на горестной кукле.
В спектаклях играла я главные роли,
А ночью мечтала о солнце и воле.

И снился мне сад, и поляна, и речка,
И кукольный домик с нарядным крылечком,
Где платья висят в идеальном порядке,
И гладко на них отутюжены складки,
Какао дымится в фарфоровой чашке,
А ветер качает на клумбе ромашки...

Грустила-грустила, мечтала-мечтала,
Потом из коробки тихонечко встала,
На цыпочках вышла по чёрному ходу,
Толкнула засов — и бегом на свободу!

Некто

Мы открыли Мальвинин учебник
На странице сто семьдесят пять.
Проживает там Некто-нахлебник,
Тот, что яблоки хочет отнять.

Год за годом послушные дети,
Ничегошеньки не возразив,
Отдают ему яблоки эти —
Красный «штрифель» и «белый налив».

Нет в задаче другого ответа,
Некто знает — ему повезло!
Уничтожил он тонну «ранета»
И «антоновки» восемь кило.

Уважаемый школьный инспектор!
Надо этот учебник изъять
И прогнать ненасытного Некта
Со страницы сто семьдесят пять!

Очаг

Очаг стоит, огонь горит, котёл висит — не свалится,
В котле похлёбочка кипит, да всё никак не сварится.

Я вижу крышку котелка, испачканную в сажице,
Я чую запах чеснока, — а может быть, мне кажется.

А ну-ка, руку протяну и котелок потрогаю,
А ну, под крышку загляну, похлёбочку попробую!

Я шарю, словно в темноте, гляжу разочарованно:
Ах, неужели на холсте всё это нарисовано!

Очаг стоит, огонь горит, котёл висит — не свалится,
В котле похлёбочка кипит, но никогда не сварится.

Папа Карло

Когда пред глазами сгущается мгла
И падают руки без силы,
То это и значит, что старость пришла
И осень для вас наступила.

В пустом кошельке ничего не бренчит,
Очаг — на холсте нарисован,
И все от дверей потерялись ключи
И вряд ли отыщутся снова.

Но я не хочу покориться судьбе,
Не давшей под старость мне сына:
Из дерева вырежу куклу себе,
А имя ей дам Буратино.

Я буду с ним утром сидеть у огня,
А на ночь рассказывать сказки...
Уже с любопытством глядят на меня
Его деревянные глазки.

Мы будем с ним вместе читать по складам.
Хоть книжки не всем по карману —
Ну что ж, я последнюю куртку продам,
Любимый сынок деревянный!

Хоть стар папа Карло, сидит без гроша —
Пусть это тебя не заботит!
Да чтоб воспитать своего малыша,
Он целые горы своротит!

Разбойники

С ножом и пистолетом,
Поджав свои хвосты,
Разбойничьим дуэтом
Несёмся сквозь кусты.

За деньги мы на клочья
Любого разорвём.
Людей мы грабим ночью,
А деньги делим днём.

Плевать, что перед нами
Кусты и бурелом!
Бесшумными скачками
Несёмся напролом.

Бесшумными скачками
По кочкам, по полям.
Расстаться с кошельками
Сейчас придется вам.

Один ударит в спину,
Другой толкнёт под дых...
Отдай нам, Буратино,
Четыре золотых!

Собаки

В полиции служат бульдоги —
Свирепы, мрачны, кривоноги.
И каждому ясно, что очень опасно
Их встретить на узкой дороге.

Они нападают украдкой,
Хватают железною хваткой —
И очень немногим приятны бульдоги
Своей агрессивной повадкой.

Но, к счастью, в семействе собачьем
Есть те, кто устроен иначе.
Вот пудель — он славный, весёлый, забавный,
Не злой и совсем не кусачий.

Но если объявят тревогу,
Бежит он к друзьям на подмогу.
И тут уж не струсит — догонит, укусит
И врежет любому бульдогу!

Тортила

На дне, среди мягкого ила,
Стояла прекрасная вилла,
А в ней черепаха Тортила
Когда-то беспечно жила;
Любили папашу с мамашей
В весёлой семье черепашьей,
И не было в озере краше,
Теплей и уютней угла.

Не знало большое семейство,
Что в мире бывает злодейство;
Использовать их ротозейство
Решился один лиходей.
Он был в своём деле искусен,
И был его замысел гнусен:
Шкатулок, гребёнок и бусин
Наделать из них для людей!

Закинул он в озеро сетки,
Поставил железные клетки —
Хотел он, чтоб глупые детки
Попали в его западню.
Осталась на воле Тортила,
Но долгие годы грустила,
И людям она не простила
Свою дорогую родню!

Удод-парикмахер

Очень удобно лесному народу —
Стричься все звери приходят к удоду.
Щёлкает клювом весёлый удод:
Чёлочку набок? Назад? Наперёд?

Видно, не зря одарила природа
Загнутым носом красавца-удода.
Стрижка, завивка, укладка, начёс —
Вот для чего пригождается нос!

Всё, что диктует столичная мода,
Можно немедля узнать от удода.
Станет пригожим любой обормот,
Если над ним поколдует удод.

Фонтан

Дежурит грозная охрана
У входа в неприступный сад.
Сидит начальник у фонтана
И попивает лимонад.

По лбу стекают струйки пота —
Жара, как видно, допекла.
Ему ужасно неохота
Решать насущные дела.

Пройдёт не больше получаса —
Незримо время пролетит,
И крик истошный Карабаса
Покой начальника смутит.

Он будет требовать защиты,
Просить и плакать... А пока
Глаза начальника прикрыты,
И жизнь приятна и легка.

Струится влажная прохлада,
Шипит фруктовый лимонад...
Для счастья так немного надо —
Спокойствие, фонтан и сад.

Харчевник

Вот моя харчевня —
Заходи, родной!
Кормим ежедневно,
Даже в выходной.

Жареные гуси —
Пахнуть мастера.
Повар наш искусен,
Трудится с утра.

Я гляжу, монеты
У тебя в горсти.
Пирожки, паштеты
Можем поднести!

Сочные тефтели
Кушайте скорей!
Вы ещё не ели
Наших пескарей...

Пробуйте цыплёнка,
Соус — вкуснота!
Для лисы — печёнка,
Рыба — для кота.

А тебе, приятель,
Нечего форсить:
Корки хлеба хватит,
Чтоб перекусить.

Цыплёнок

В тесной скорлупке яичной
Думал я целые дни:
Куры — народ необычный...
Может, не птицы они?

Ждал я, чтоб мне объяснили
Главную Тайну Яйца:
Бьют его с острого или
Только с тупого конца?

Мысли меня обступали
И замыкались в кольцо:
Что появилось вначале —
Курица или яйцо?

Как мне хотелось без спросу
Выйти из мрака на свет,
Чтобы на эти вопросы
Выяснить точный ответ!

Чернила

Чернильная клякса на белой странице
Не может исчезнуть, пропасть, испариться.
Её Буратино сюда уронил —
Злосчастную чёрную каплю чернил.

Мальвина в слезах, Буратино в чулане —
Ах, если б предвидеть всё это заранее!

Вернёмся на миг и откроем тетрадь!
Быть может, успеем ещё написать
На месте узора, на месте позора —
«А роза упала на лапу Азора».

Шушара

Кто любит ромашки, букеты из роз
И всякую дрянь вроде птичек и звёзд,
Тот мне, безусловно, не пара!
Я рекомендую: ромашки порвать,
А птичек загрызть, а на звёзды плевать —
Вот так поступает Шушара.

И если с цыплёнком судьба вас свела,
То съесть его надо, и все тут дела,
И нечего тут умиляться.
Я трезво на жизнь, между прочим, смотрю,
Добро — это чушь, я всегда говорю,
Хоть я не люблю повторяться.

Я свет ненавижу, и солнце мне враг,
Мне по сердцу норы, где царствует мрак,
Свирепствует холод собачий,
Сырые подвалы, кривые ходы,
Подземные залы в потёках воды —
Вот так, и никак не иначе!

Я рыщу всю ночь и грызу всё подряд —
От тухлых яиц и до свежих цыплят,
От мяса до сырной головки.
Пусть дети боятся ночной темноты,
А мне не страшны ни мышьяк, ни коты,
Ни всякие там мышеловки!

Щёки и пощёчины

Пьесе напророчен
Бешеный успех.
Будет звон пощёчин —
Значит, будет смех.

Тридцать три затрещины,
Тридцать три тычка —
Нынче, как обещано,
Мне намнут бока.

Я стою, унылый,
Голову склоня.
Лупит что есть силы
Арлекин меня.

Обижаться нечего,
Уж такая роль
В пьесе мне намечена —
Потерпи-изволь.

Пудра облетает
С побелённых щёк,
И никто не знает,
Как я одинок.

Въезд в Страну Дураков

Высох ручей и зарос лопухом,
Сломанный мост в захолустье глухом,
Ямы и мусор — примерно таков
Въезд на границе Страны Дураков.

Вот пролегла через сумрачный лес
Тропка, ведущая к Полю Чудес.
Хочешь на грош получить пятаков?
Что ж, отправляйся в Страну Дураков.

Только не жалуйся, ежели тут
Хитрые плуты тебя проведут.
Всё отберут, надают тумаков —
Так и бывает в Стране Дураков.

Ямы да мусор, лопух да овраг —
Может прийти сюда каждый дурак.
Если решился — шагай через мост.
Вход не заказан, да выход не прост...

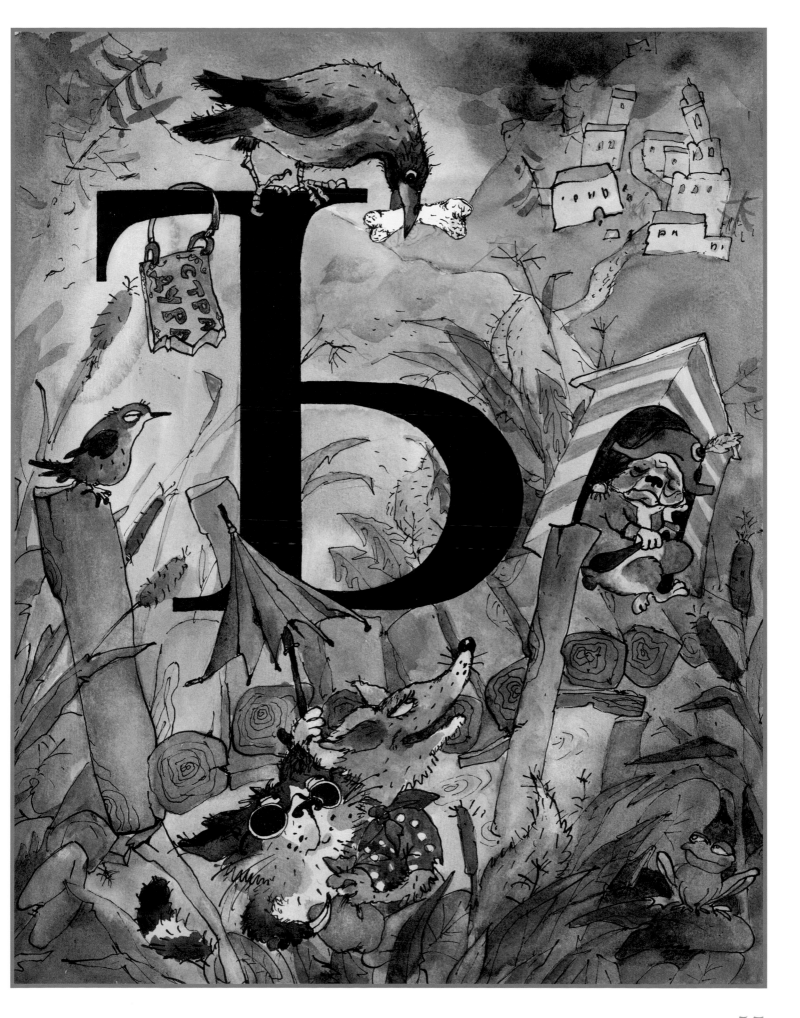

Летучие мыши

Летучие мыши — создания мрачные,
Им нравятся пыльные своды чердачные.
Для них ничего отвратительней нет,
Чем ясное небо и солнечный свет.

Они хоронятся углами укромными,
Они промышляют делишками тёмными
И ночью неслышно летят в темноту
На помощь коварным лисе и коту.

И всяк попадает в беду неминучую,
Кто свяжется с мышью чердачной летучею.
Поэтому, встретив летучую мышь,
Гони её прочь оглушительным «Кыш!».

Печальный Пьеро

Каждому известно,
Так это старо, —
Бросила невеста
Бедного Пьеро.

Я гляжу несмело,
Рукава длинны.
Я белее мела,
Я бледней луны.

Ветер на равнине,
Соверши добро:
Расскажи Мальвине,
Как грустит Пьеро.

Все мы неумелы,
Если влюблены.
Я белее мела,
Я бледней луны.

Зимородок синий
Выронил перо.
Напишу Мальвине
О любви Пьеро.

Небо заалело,
Утро гонит сны.
Я белее мела,
Я бледней луны.

Эхо

Эхо на горных вершинах живёт,
Там оно очень скучает.
Только прохожий его позовёт —
Эхо ему отвечает.

Если ж идти ты не хочешь один
В горы аукаться с эхом,
Знай, что порожний и гулкий кувшин
Эхо вмещает с успехом.

Скажешь в кувшин: «О-гого, у-гугу!» —
Голос покажется странным.
И отзовётся загадочный гул,
Словно ты стал велеканом.

«Скоро найду я волшебную дверь?» —
Спросишь, к примеру, для смеха —
В то же мгновенье послышится «Верь» —
Вторит кувшинное эхо.

Эхо невидимо — что ж, не беда.
Голос — не так уж и мало.
Ты разговаривай с ним иногда,
Чтобы оно не скучало.

Буква «Ю»

У Мальвины юбка из плюша,
У Мальвины юбка из тюля,
У Мальвины к завтраку — плюшка,
Даже день рожденья в июле.

Любит она ягоду клюкву,
Лютики, вьюнки и люпины...
Так что и любимая буква —
Буква «Ю» для куклы Мальвины.

Я

Шум затих. Прошла премьера,
День волнений пережит.
И луна из-за портьеры
Сон актёров сторожит.

Я не лягу спать со всеми
За кулисами, где хлам,
Сны и тайны в это время
Оживают по углам.

Шляпы, старая посуда,
Лампа, бронзовый поднос —
Я хочу залезть повсюду,
Всюду сунуть длинный нос.

Посмотрю за этой дверью,
Там, где полка на стене.
Ну-ка, дай-ка я проверю,
Что хранится в глубине?

Я найти мечтаю втайне
Книгу важную одну.
Может быть, её случайно
Разыщу я и верну.

Там чудесные картины!
На странице с буквой «Я»
Нарисован Буратино.
Буратино — это я.

Заключение

И куклы довольны, и зрители рады,
И все приключенья сложились как надо.
Был ключик подобран, и дверь отперлась,
И вроде бы сказка к концу добралась.

Лишь книгу, пропавшую в самом начале,
Мы ждали — но больше её не встречали.

Неужто она у чужого мальчишки
Валялась в столе, как обычные книжки?
А может, какой-то владелец-вандал
На чудных картинках усы рисовал?

Теперь ты, читатель, узнаешь об этом:
Волшебная Азбука — книга с секретом.
Дорогами чуда, тропинками сна
К хозяину снова вернулась она!

На полке, за сценой, среди паутины
Она дождалась своего Буратино,
И в ней, как и прежде, от «А» и до «Я», —
Его приключенья, враги и друзья.

И пусть, дочитав до последней страницы,
Ты снова захочешь сюда возвратиться.

Содержание

Литературно-художественное издание

Ольга Прохорова, Татьяна Толстая
ТА САМАЯ АЗБУКА БУРАТИНО

Для чтения взрослыми детям

Художник *Юлия Сомина*
Автор макета *Анна Винокур*
Выпускающий редактор *Надежда Крученицкая*
Корректор *Надежда Юдина*

Детское издательство «Розовый жираф»
125167, Москва, 4-я ул. 8 Марта, 6а
Отдел реализации: +7 (495) 514-0948
www.pgbooks.ru
Вдохновитель Макс Джикаев

Подготовка к печати ООО «Виртуальная галерея»

Подписано в печать 26.07.2010
Формат 70Х100/8. Бумага офсетная
Печать офсетная. Тираж 7 000 экз. Заказ 1815
Отпечатано в ОАО «Типография «Новости»
105005, Москва, ул. Ф. Энгельса, 46